Y0-ACG-280

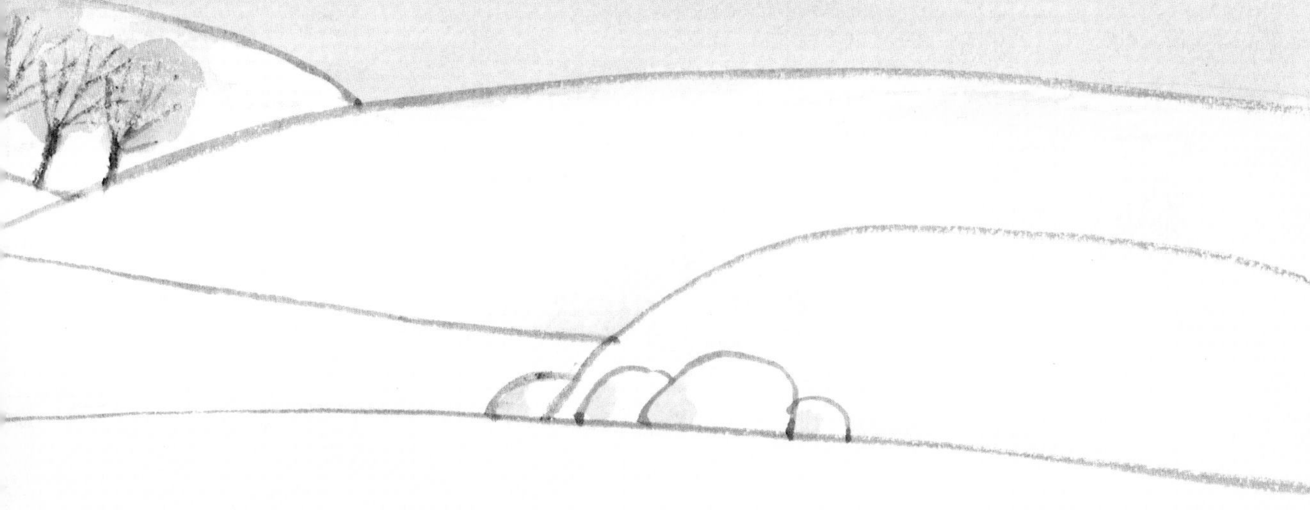

A Jessica.
de simon M.

1992.

Traduction française de Claude Lager

Titre original "Frog in winter",
Andersen Press ltd, Londres.

Loi N°49956 du 16 juillet 1949,
sur les publications destinées à la jeunesse: septembre 1992
Dépôt légal: septembre 1992

Imprimé en Italie par *Grafiche AZ*, Vérone
sur un papier sans acide.

Max Velthuijs

Petit-Bond en Hiver

PASTEL
l'école des loisirs

Dès son réveil, Petit-Bond se rend compte que quelque chose a changé.
Le monde n'est pas comme d'habitude. Que se passe-t-il ?

Il va à la fenêtre. Tout est devenu complètement blanc.

Petit-Bond n'en croit pas ses yeux. Il se précipite dehors.
Il y a de la neige partout. Le sol est si glissant qu'il perd l'équilibre…

... descend le petit talus sur son derrière et se retrouve dans la rivière.
Sur la rivière plus exactement, car l'eau est gelée.
Petit-Bond reste étendu sur la surface dure et glaciale.
“Je ne vais pas pouvoir me laver”, pense-t-il contrarié.

Tremblant de froid, il s’assied sur la berge.
Arrive Blanche la cane, chaussée de patins. “Bonjour, Petit-Bond”, dit-elle. “Il fait beau aujourd’hui, tu viens patiner ?”

“Non, je suis gelé”, répond Petit-Bond.
“Mais cela te réchauffera de patiner. Viens, je vais t’apprendre.”

Blanche la cane fixe les patins aux pattes de Petit-Bond
et lui prête son écharpe. Elle le pousse dans le dos.
Petit Bond glisse rapidement sur la glace, mais très vite, il tombe.
“Tu t’amuses bien ?” demande Blanche.
Transi de froid, Petit-Bond claque des dents.

“Toi, tu as un chaud manteau de plumes”, dit-il,
“…mais moi, je suis tout nu.”
“C’est vrai”, dit Blanche. Garde mon écharpe, Petit-Bond. A bientôt!”

Arrive Cochonnet.
Il porte sur le dos un panier rempli de bois à brûler.
“N’as-tu pas froid, Cochonnet ?” demande Petit-Bond.
“Froid ?” s’étonne Cochonnet. “Non, j’aime beaucoup ce temps frais et vivifiant. L’hiver est la plus belle des saisons.”

“Tu as une bonne couche de graisse pour te protéger du froid,
mais moi, qu’est-ce que j’ai ?”
“Pauvre Petit-Bond !” dit Cochonnet, “j’aimerais bien pouvoir t’aider”.

Une deux, une deux... Arrive le lièvre au pas de course.
Il fait son jogging dans la neige.
“Hourrah!” crie-t-il, “le sport, c’est la santé ! Vive le sport !”
“Hip hip hip hou…”

«Pourquoi restes-tu là, Petit-Bond?
C’est important de se maintenir en forme.”
«J’ai froid”, dit Petit-Bond. “Toi, tu as une fourrure bien chaude, mais moi, je suis tout nu”. Et il rentre tristement chez lui.

Le lendemain, ses amis l'invitent à une bataille de boules de neige.
Mais Petit-Bond n'a pas envie de jouer.

“J’ai froid”, murmure-t-il, “je ne suis qu’une pauvre grenouille toute nue”. Et il se traîne misérablement jusqu’à sa maison.

Il reste assis au coin du feu, rêvant au printemps et à l'été.
Il brûle son bois jusqu'à la dernière bûche.

Le feu finit par s'éteindre.
Petit-Bond doit sortir chercher d'autres bûches.
Mais la nuit est tombée et, avec toute cette neige,
impossible de trouver le moindre morceau de bois.

Petit-Bond marche très longtemps et finit par se perdre.
Epuisé, il se couche dans la neige. Pauvre grenouille toute nue !

Ses amis finissent par le retrouver.
“Je suis gelé”, gémit Petit-Bond.
Le lièvre et Cochonnet le transportent avec précaution
jusqu’à sa maison et le mettent au lit.

Pendant que le lièvre s'occupe de trouver du bois, Cochonnet prépare une bonne soupe et Blanche réconforte Petit-Bond.

Le soir, le lièvre lit de belles histoires sur le printemps et l'été. Tous l'écoutent attentivement. Cochonnet tricote un pull-over vert et bleu. Petit-Bond est heureux entouré de ses amis. L'hiver est merveilleux quand on le passe dans son lit !

Bientôt, Petit-Bond se sent mieux. Il peut se lever.
Il n'a ni plume, ni graisse, ni fourrure, mais un pull-over bien chaud.
Il fait quelques pas dans la neige…
"Et alors ?" demande le lièvre, curieux.
"C'est bien", répond Petit-Bond.

Ainsi se passe l'hiver.
Un matin, Petit Bond se rend compte que quelque chose a changé.
Un rayon de lumière entre par la fenêtre.
Il saute de son lit et se précipite dehors.

Tout est vert et le soleil brille dans le ciel.
“Hourrah!” s’écrie-t-il. “C’est formidable d’être une grenouille!
Quel plaisir de sentir les rayons du soleil sur ma peau nue.”
Ses amis sont tout heureux de voir Petit-Bond si joyeux.

“Que ferions-nous sans Petit-Bond ?”, dit le lièvre en souriant.
“Je me le demande”, dit Cochonnet. “C’est vrai”, ajoute Blanche,
“Sans lui, la vie ne serait pas pareille.”